日蓮正宗の「御講」とは

仏法では、仏・法・僧の三宝に帰依することを説いています。
日蓮大聖人が「仏法を日本国に初めて弘めた」（本尊問答抄・御書一二七八ページ取意）と仰せられている聖徳太子は、
「心から三宝を敬いなさい。三宝とは仏・法・僧である。生老病死をまぬかれない生きとし生けるものの究極のよりどころは宗教である。いつの時代でも、いかなる人でも、仏法を尊ぶべきである。そもそも人間に、まったくの悪人は少ない。仏法によって教え、諭せば、誰もが人間らしい道を歩むようになる。しかし仏法に帰依しなければ、曲がった心を正すことはできない」（取意）
述べています。

本宗においては、僧俗一同が毎月、御本仏・日蓮大聖人に真心からご報恩の志を捧げるともに、今後の仏道増進を誓うために「御講」が奉修されます。御講は、正式には「御報恩講」といいます。この法要をもって日蓮大聖人にご報恩申し上げることが、日蓮正宗の三宝へのご報恩の実践となるのです。

私たちが心から尊崇すべき
日蓮正宗の三宝

仏宝 日蓮大聖人

法宝 本門戒壇(かいだん)の大御本尊

僧宝 第二祖日興上人を随一とする御歴代上人

古来、総本山大石寺では、御法主上人の大導師のもと全山の僧侶が出仕し、月に三回、日興上人のご命日である七日と大聖人のご命日である十三日、そして日目上人のご命日である十五日に、それぞれ御影堂(みえいどう)において「御講」が厳粛に奉修されています。

この総本山における法要の意義と精神にもとづいて、末寺では、毎月第二日曜日に御講が修されています。

末寺では、まず御本尊、大聖人、日興上人・日目上人以下歴代の御法主上人にお膳をお供えし、住職・主管の導師によって僧俗がご報恩の読経・唱題をし、そのあとに住職・主管から御書にもとづいた法話があります。

このように日蓮正宗では、僧俗が一体となって御講を奉修し、ともどもに信・行・学を深め、広宣流布(るふ)へのさらなる前進を誓い合っているのです。

「講」とは

「講」とは「同じ信仰をする者の集団」という意味があり、日蓮正宗では、日蓮大聖人の教えを奉ずる人の集まりを「法華講」と称します。

総本山第三十一世日因上人は、信徒へのお手紙で、講中の絆の重要性について、

「講中は一結して、異体同心し、永劫(えいごう)に離ればなれになってはいけない。一人が成仏を果たしたならば、講中一人ひとりを引導して成仏を遂(と)げさせなさい。一人がもしも地獄に堕(お)ちたならば、講中みなが力を合わせて救ってあげなさい」(取意)

とご指南されています。

御法主上人による献膳の儀

ご報恩の大事

現在の自分があるのは、この世にわが身を誕生させてくれた父母をはじめ、周囲の方々のさまざまな援助や協力のおかげであることは、誰にも否定できないことです。それらの恩恵(おんけい)に対し、素直に「感謝の気持ち」を懐(いだ)くことは、人間としてごく自然な心情です。実はその気持ちこそ、私たちが人間らしく生きるための大切な感情でもあります。ましてや、正しい仏法を信ずる者は、恩を知り、恩に報(むく)いること(知恩(ちおん)・報恩)を絶対に欠かしてはならないのです。

そのことを、大聖人は、

「世の中には、父母の恩をはじめとする四つの恩がある。これらの恩を知る者を人間といい、わきまえ

ない者を畜生とするのである」（聖愚問答抄・御書三九九ページ取意）
と仰せられています。すなわち大聖人は、自身が受けている四つの恩徳に対して、知恩・報恩の姿勢を持つことが人間のあるべき姿であると教えられているのです。

四つの恩には諸説がありますが、ここでは父母の恩、衆生の恩、国主の恩、三宝の恩のことを言います。

父母の恩…産み、育て、常に安泰を願って行動してくれる両親の恩。
衆生の恩…互いに生かし、生かされているという、すべての衆生から受ける恩。
国主の恩…国民が安心して生活できるように守護する為政者の恩。
三宝の恩…衆生を成仏に導く仏と、仏の教えである法と、その教えを実践し、人々を仏道に導く僧の恩。

という四つです。

大聖人は、

「仏法を習ふ身には、必ず四恩を報ずべきに候か」（四恩抄・同二六七ページ）

「仏法を学せん人、知恩報恩なかるべしや。仏弟子は必ず四恩をしって知恩報恩をいたすべし」（開目抄・同五三〇ページ）

と仰せられています。その四恩のなかでも、三宝の恩が最も重要な恩徳です。それは、すべての衆生を即身成仏という究極の境界（きょうがい）に導いてくださるのが三宝尊だからです。

「提灯（ちょうちん）を借りた恩は知れども、天道の恩は忘れる」という言葉があります。闇夜（あんや）で困っている時に提灯を借りたありがたさは忘れないが、日ごろの日光の恵みは大きすぎて、かえってそのありがたさを忘れてしまうということです。また「大恩は報ぜず」という言葉もあります。身近な恩恵には恩返しをしようとするが、広大な恩徳にはかえって報いることを忘れてしまうことを意味しています。

私たちは、日蓮正宗の三宝の広大なご恩徳を決して忘れてはなりません。主師親（しゅししん）三徳兼備（けんび）の大聖

人、広大無辺のお力がそなわる御本尊、そして『百六箇抄』に、

「日興から嫡々相承された上人に対しては、予が存命の時のように仰ぐべきである」

（御書一七〇二ページ取意）

と仰せられた、日興上人を随一とする御歴代上人のご恩徳を忘れたならば、妙法の大功徳を受けることができないことを知るべきです。

三宝の恩

大聖人は、『四恩抄』に次のように仰せられています。

「仏の恩に対しては、世界中の水を硯の水とし、一切の草木を焼いて墨として、あらゆる獣の毛を集めて筆とし、全世界の大地を紙として書き残したとしても、決して報いることはできない。

法の恩について言えば、法とはいっさいの仏の本師である。すべての仏が貴いことは、ひとえに法による。ゆえに仏の恩に報いよう

秋山泰忠公に学ぶ

ご報恩のまこと

四国・讃岐の本山本門寺の開基檀那、秋山泰忠公の遺言状（置文）に、次のようなことが書かれています。

「泰忠の一統は、かりそめにも南無妙法蓮華経の宗旨と異なる他の寺を建てて、本門寺に背くようなことがあってはならない。

十月十三日の、日蓮大聖人の祥月のご命日には、泰忠の領内に住む男女は子々孫々に至るまで皆、本門寺に参詣し、真心をこめてご報恩申し上げなければならない。親族間で何らかの確執が生じたとしても、十三日には皆、心を一つにして、泰忠が仰ぎ奉るように御本仏大聖人にご報恩を欠かしてはならない。

もしもこの書き置きに反し、違乱する者がいれば、その子孫は御本仏大聖人、十羅刹、八幡大菩薩の罰を受けるだけでなく、泰忠にとっても永く不孝者とみなす」

と思う者は、法の恩を報ずべきである。

僧の恩について言えば、仏宝・法宝は必ず、僧によって後世に伝えられるのである。たとえば薪がなければ火をおこすことはできないし、大地がなければ草木が生えることがないのと同じである。

したがって、何としても三宝の恩を報ずるべきである。実際、昔の聖人たちは、わが身を捨てて法を求め、みずからの臂を燃やし捧げて、三宝の恩を報じたのである。しかし、今の世の多くの人は、三宝の恩を受けながら、その恩を報

（同状取意）

これは、秋山泰忠公の、文和二（一三五三）年三月五日付の「後の為に誡め置く条々の事（全十一条）」にある文です。

秋山家は、甲斐源氏の有力者で、第二祖日興上人によって正法に帰依し、当時、甲斐国（山梨県）中巨摩郡中野村に居住していました。その後、所領替えによって四国の土佐、讃岐へ移り、現在の本山本門寺の前身である法華堂を建立しました。これを契機に、日興上人は日仙師を派遣され、僧俗一致して地域広布に邁進されました。

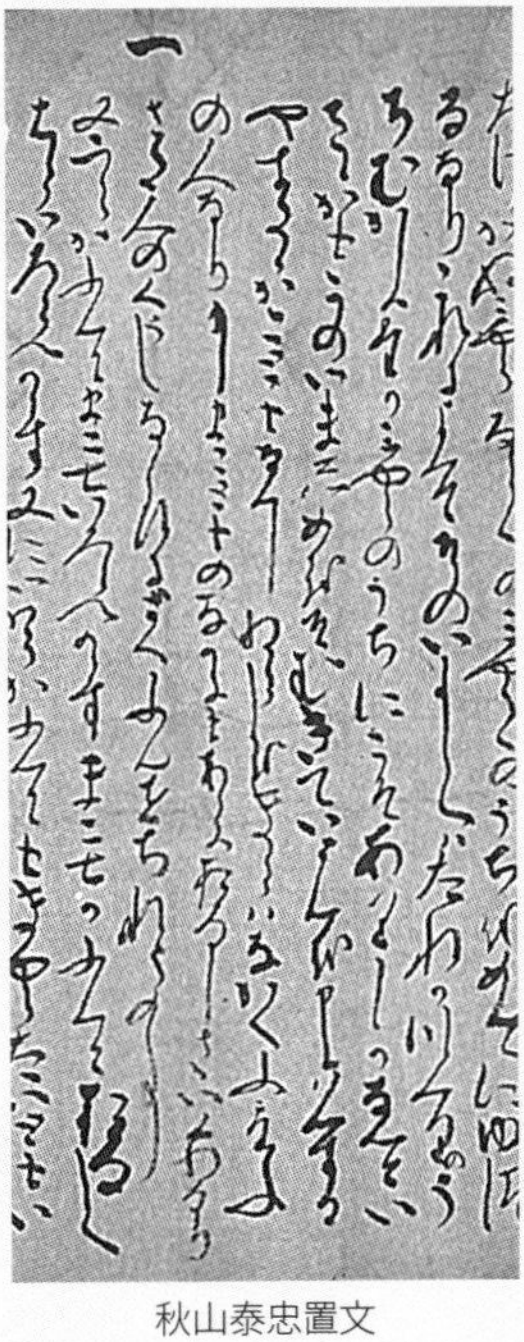

秋山泰忠置文

いようとしない。そのようなことで、どうして本物の幸せ、即身成仏の境界を得ることができるというのか」

（御書二六八ジペー取意）

このご教示のように、やはり、本物の幸せ、即身成仏の境界を目指す信心修行においては、三宝尊に対する知恩・報恩を忘れてはなりません。私たちは、積極的に寺院の御講に参詣し、この仏祖三宝尊に対するご報恩を尽くすことが大切です。

聞法(もんぽう)の大功徳

御講では、読経(どきょう)・唱題(しょうだい)のあと、御住職・御主管から法話があります。

大聖人が『一念三千法門』に、

「この世界は、耳で妙法を聞くことによって成仏得道できる国土なのである」

（御書一一〇ページ取意）

と仰せられているように、本物の幸せ、即身成仏の境界を得るためには、「常に、僧侶からご法門を聴聞(ちょうもん)する」という姿勢が欠かせません。そのため大聖人は、ご在世当時の各地の信徒たちに対し、その地へ派遣(はけん)したお弟子から、ご法門を聴聞して信心を深めるようにご指南されているのです。これは『新池(にいけ)御書』の、

「使いの僧に、この書状を読んでもらい、しっかりと聞きなさい。この僧を、成仏のために必要な者であると頼りにして、常に法門について尋(たず)ねなさい。法門を聞かなければ、どうして迷いの雲を払うことができようか。足が不自由では、どうして千里の道を行くことができようか。この書をくりかえし読んでもらい、常によく聞きなさい」

（同一四六一ページ取意）

との仰せや、同抄の、

「なんとしても、この経の心を知る僧侶に近づき、いよいよ仏法の道理を聞いて信心の歩みを運ぶべきである」（同一四五七ページ取意）

とのお言葉からも明らかです。このことからも、現在、私たちがそれぞれの所属寺院に参詣して、御住職や御主管の法話を聴聞することが大事となるのです。

だからこそ、総本山第二十六世日寛上人は、

「いかなることがあっても、あらゆる事柄を差し置いて参詣し、説法を聴聞して、南無妙法蓮華経を唱え、報恩謝徳（ほうおんしゃとく）申し上げることが大切である」（富要一〇―一四三ページ取意）

と誡（いまし）められているのです。私たちは、このご指南を深く心に留（とど）め、決して忘れないようにしたいものです。

また、ぜひ心得ておきたいこととして、本宗では古来「ご法門は毛穴から入る」と言われているように、御住職・御主管の法話のすべてを理解できなくても、法話を聴聞することで自然と御本仏の命が身に入るのです。日寛上人が、

「聞きさへすれば功徳無量なり」（同一〇―一八三ページ）

日寛上人のご指南にみる　法話聴聞の大事

総本山第二十六世日寛上人は『寿量品談義』に、次のようにご指南されています。

「優婆塞戒経には、『四十里四方（およそ二十キロ）の中に仏法を講ずる所があり、もしそこに行って聴聞をしなければ失意罪を得るであろう』と説かれている。これは、行ける場所で説法を行っているのに、足を運んでご法門を聞かなければ、失意罪、つまり心に願うことが一切かなわない、ということである。

一方、説法の場に行って聴聞する功徳については、『三国伝』に次のように書かれている。

『維摩長者という人が、八十余歳で、初めて仏が説法されている場所へ参詣した。その際、維摩長者が〈仏の説法を聞くために家から四十里を歩いて参詣した功徳はどれほどでしょうか〉と仏に質問をした。すると仏は「あなたが歩んできた足の土をとって塵のように砕き、その塵の数にしたがって、一つの塵に対して一劫ずつの罪を消滅し、また寿命を延ばせることはこの塵の数と同じであろう。さらに生まれ変わるたびに仏に値い奉ることは、この塵の数と同じく無量無辺であろう」と答えられた』。

また、因縁経には『法を聞くために一歩を踏み出せば、万億の生死を繰り返すほどの罪を滅することができる』と説かれている。

このように、自分の足を運んで説法を聞くのと聞かないのとでは、その罪と福徳に雲泥の違いが存するのである」

（富要10－127ページ取意）

とご指南されているように、大聖人の仏法を聴聞することによって広大な功徳を積むことができるのですから、大きな喜びをもって法話を聴聞しましょう。

当宗の信心の根本「師弟相対（していそうたい）」

総本山第九世日有上人が、

「信心と云（い）えば一人しては取り難（がた）し」

（富要二―一六五ページ）

とご指南されています。

信心は一人ではできません。正しい師匠に師弟相対してこそ、正しく仏道修行をすることができるのです。つまり私たちが成仏を果たすためには、師・弟子の筋目（すじめ）をわきまえ、御法主上人の名代（みょうだい）であ

る御住職・御主管の法話・指導を拝聴して、信心の糧としていくことがきわめて大切です。

日蓮大聖人は、師弟相対の信心の大事について『華果成就御書』に、

「師弟相違せばなに事も成すべからず」（御書一二二五ジペー）

と仰せられ、また第二祖日興上人は、

「このほうもんは、しでしをたゞしてほとけになり候」

（歴全一―一八三ジペー）

とご教示されています。

このように、私たちが成仏を果たすためには、師弟子の節目を正し、御法主上人猊下の名代である御住職・御主管の法

話や指導を拝聴して信行に励むことが大切です。そのために、御講には毎月欠かさず参詣するとともに、常に寺院参詣を心がけることが肝要なのです。

信心修行の基本(2)

御講

―みんなで参詣しよう―

令和二年九月一日 初版発行
令和三年十二月二十八日 第四刷発行

編集
発行 株式会社 大日蓮出版

ISBN978-4-905522-84-3

ISBN978-4-905522-84-3
C0015 ￥145 E

定価 160円
（本体 145 円＋税）

大日蓮出版

毎月第２日曜は「御講（おこう）」の日

毎月、寺院で行われる御講の参詣には、仏（ぶっ）・法（ぽう）・僧（そう）の三宝尊（さんぼうそん）にご報恩（ほうおん）が申し上げることができ、聞法（もんぽう）の修行を積ませていただき、師弟（してい）相対の信心姿勢が身につけられるなど、さまざまな意義と功徳（くどく）がそなわります。

御報恩御講への参詣は、重要な仏道修行ですから、家族はもとより講中の仲間にも声をかけ、皆で一緒に功徳を積んでまいりましょう。